ANGLETE
RRE
GERMANIE
POLOGNE
EV
RO
PE
BRETAIGNE
AVTRICHE
FRANCE
GENVA
LANGVE
DOC
TOSCANE
NAVARRE
GOLFE DE LION
ITALIA
MER ADRIATIQVE
DALMATIE
CATALIGNE
GNE
CORSICA
VALENCE
MINORCA
MAIORCA
SARDEGNIE
MER
ME
DI
TER
RA
NEE
MVRCIE
SISILIA
ISLE DE
MALTE
ARGER
TVNIS
TRIPOLI
Et du lapin
Eusèbe

De Cape et de Crocs

ACTE II

PAVILLON NOIR !

SCÉNARIO

ALAIN AYROLES

DESSIN

JEAN-LUC MASBOU

Résumé de l'épisode précédent

À Venise, Armand Raynal de Maupertuis, gentilhomme gascon, et Lope de Villalobos y Sangrin, hidalgo andalou, volent au secours du fils de l'armateur Cenile Spilorcio, que les Turcs ont enlevé. À bord du navire turc, les deux amis découvrent une bouteille contenant une carte au trésor. Le Raïs Kader, le capitaine ottoman qui trouva jadis cette carte menant aux mythiques îles Tangerines, obtient d'un alchimiste une pierre de Lune, talisman qui lui permettra de repousser les démons veillant sur le trésor. L'enlèvement d'Andreo, le fils de Cenile, n'était qu'une supercherie ourdie par son valet Plaisant, qui voulait aider le jeune homme à gagner les faveurs d'une bohémienne. Celle-ci, la fière Hermine, jette son dévolu sur Don Lope. Tandis que l'hidalgo s'efforce de résister aux charmes de la Gitane, Armand s'éprend de Séléné, belle ingénue que Cenile tient recluse. Le vieil avare, qui convoite le trésor, fait arrêter, juger et condamner aux galères nos deux héros. Puis il confie la carte à son fils et l'envoie à la recherche du trésor. Aux galères, Armand et Don Lope sauvent le lapin Eusèbe du fouet du cruel capitan Mendoza. À l'occasion d'une bataille contre les corsaires du Raïs Kader, Eusèbe libère les deux gentilshommes, qui combattent aux côtés des Turcs. Un duel avec Mendoza laisse Armand grièvement blessé. Kader victorieux capture le capitan et accueille Armand, Don Lope et Eusèbe à son bord. La chébèque barbaresque se lance à la poursuite du vaisseau affrété par Cenile, à bord duquel Plaisant, Andreo et Hermine - que son soupirant a enlevée -, font voile vers le trésor des îles Tangerines.

Dans la même série :

Tome 1 : Le Secret du janissaire
Tome 2 : Pavillon noir !
Tome 3 : L'Archipel du danger
Tome 4 : Le Mystère de l'île étrange
Tome 5 : Jean Sans Lune
Tome 6 : Luna incognita
Tome 7 : Chasseurs de chimères

Du même scénariste, chez le même éditeur :

Garulfo (six volumes et intégrales premier et second récit) - dessin de Maïorana

Du même dessinateur chez le même éditeur :

L'Ombre de l'échafaud (deux volumes) - dessin de Cerqueira

Dépôt légal : mai 1997. I.S.B.N. : 978-2-84055-143-0
Lettrage : Jean-Marc Mayer
Conception graphique : Trait pour Trait
Achevé d'imprimer en février 2007
sur les presses de l'imprimerie Lesaffre, à Tournai, Belgique.
www.editions-delcourt.fr

AH! LE BEL ÉQUIPAGE QUE VOILÀ!

UN GRAND BLESSÉ ET UN SCÉLÉRAT QUI N'ATTEND QUE L'OCCASION DE NUIRE! ET POUR FINIR: UN TURC! ICI! À MALTE!
UN MAHOMÉTAN DANS CE BASTION DE LA CHRÉTIENTÉ, C'EST LE LOUP DANS LA BERGERIE! NOUS VOICI CONTRAINTS D'USER DE MILLE RUSES LÀ OÙ, SEUL, JE POUVAIS ALLER À VISAGE DÉCOUVERT!

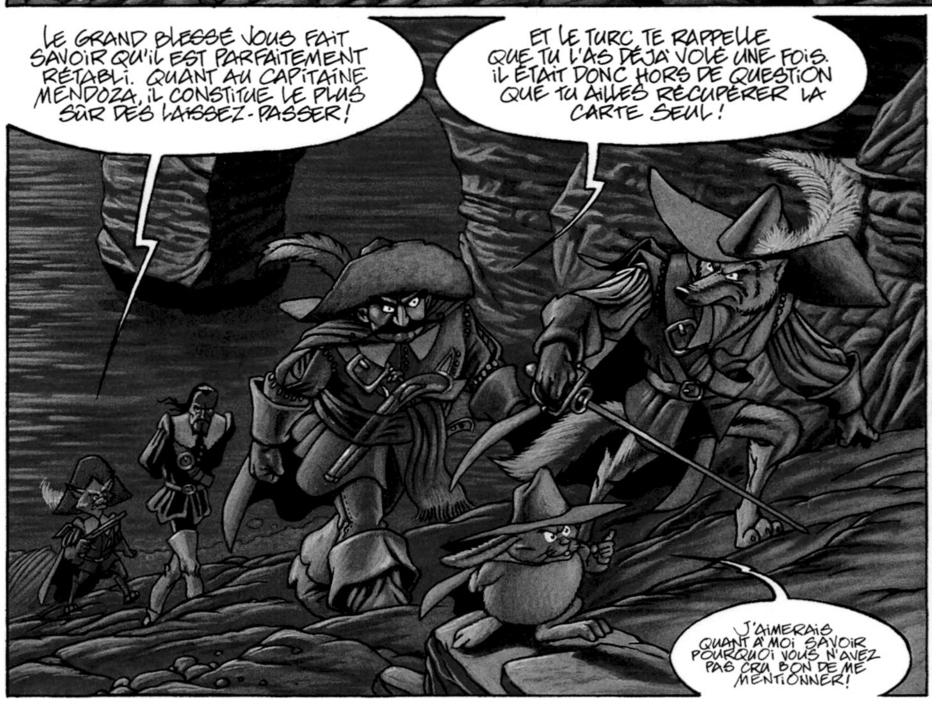
LE GRAND BLESSÉ VOUS FAIT SAVOIR QU'IL EST PARFAITEMENT RÉTABLI. QUANT AU CAPITAINE MENDOZA, IL CONSTITUE LE PLUS SÛR DES LAISSEZ-PASSER!
ET LE TURC TE RAPPELLE QUE TU L'AS DÉJÀ VOLÉ UNE FOIS. IL ÉTAIT DONC HORS DE QUESTION QUE TU AILLES RÉCUPÉRER LA CARTE SEUL!
J'AIMERAIS QUANT À MOI SAVOIR POURQUOI VOUS N'AVEZ PAS CRU BON DE ME MENTIONNER!

OSERIEZ-VOUS METTRE MA PAROLE EN DOUTE, MONSIEUR LE BARBARESQUE?!
QUE VAUT LA PAROLE D'UN INFIDÈLE?
VOILÀ QUI COMMENCE BIEN!

1

À QUATRE PAS D'ICI, JE VOUS LE FAIS SAVOIR !
MESSIEURS ! DE GRÂCE ! CELA N'EST NI L'HEURE, NI LE LIEU !

VOICI LE PORT OÙ S'EST RÉFUGIÉ LE NAVIRE DES VÉNITIENS.

LES PORTES DE LA VILLE SONT BIEN GARDÉES... NOUS ALLONS NOUS MÊLER À CES PAYSANS QUI SE RENDENT AU MARCHÉ.

UN MOT DE TROP ET CE SERA LE DERNIER !
CRRICK !

QU'EST CELA, SERGENT ? AVONS-NOUS L'AIR DE TURCS POUR QU'IL NOUS FAILLE MONTRER PATTE BLANCHE ?...
MILLE EXCUSES, CAPITAN ! NUL À MALTE N'OSERAIT DEMANDER UN SAUF CONDUIT À UN CHEVALIER DE L'ORDRE !

FORT BIEN. CEUX-LÀ SONT AVEC MOI... JE NE ME DÉPLACE JAMAIS SANS MON VALET ET MES CHIENS !

VOUS RENDEZ-VOUS COMPTE QU'UN SIMPLE GESTE DE MA PART SUFFIRAIT À AMEUTER TOUTE LA GARNISON ?
VOUS N'EN FEREZ RIEN.
ET POURQUOI DIANTRE ?!

PARCE QU'UNE FOIS RÉGLÉES LES MENUES AFFAIRES QUI NOUS APPELLENT À MALTE...
...VOUS ME LIVREREZ À VOS GRANDS AMIS LES TURCS !
QUE NENNI ! NOUS NOUS BATTRONS EN DUEL ! SI VOUS EN SORTEZ VAINQUEUR, VOUS RECOUVREREZ VOTRE LIBERTÉ.
ET VOUS ? QUEL EST VOTRE INTÉRÊT LÀ-DEDANS ?

EH BIEN, DISONS QU'AYANT SURVÉCU À NOTRE PRÉCÉDENT AFFRONTEMENT, JE M'ESTIME EN DROIT D'OBTENIR UNE REVANCHE !
VOUS N'EN RÉCHAPPEREZ PAS, CETTE FOIS-CI. HIN HIN HIN !
LE PORT EST PAR LÀ !

3

PRESSONS LE PAS, COMPADRES ! J'AI HÂTE DE CARESSER LES CÔTES DE CE GRAND FAQUIN D'ANDREO !

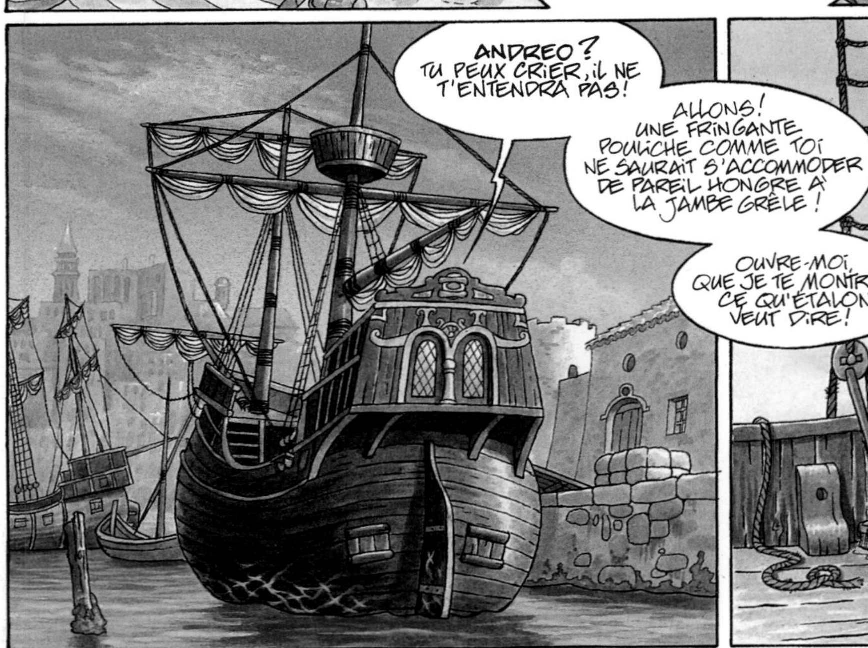
ANDREO ? TU PEUX CRIER, IL NE T'ENTENDRA PAS !
ALLONS ! UNE FRINGANTE POULICHE COMME TOI NE SAURAIT S'ACCOMMODER DE PAREIL HONGRE À LA JAMBE GRÊLE !
OUVRE-MOI, QUE JE TE MONTRE CE QU'ÉTALON VEUT DIRE !

MALHEUR À TOI SI TON GROIN PASSE LE SEUIL, RÉPUGNANT GORET !!

MORBLEU ! JE NE PIAFFERAI PAS PLUS LONGTEMPS ! OUVRE ! OU J'ENFONCE CETTE...

LE PLEUTRE S'EST À COUP SÛR BARRICADÉ DANS LA CABINE... ÉCARTEZ-VOUS UN BRIN, POR FAVOR !

OUPS.

4

LUI!?

ELLE!?

ET ANDREO?
ET LA CARTE?
ET MOI?
JE N'OSE Y CROIRE! VOUS TRAVERSÂTES LA MER POUR ME SAUVER DES GRIFFES DE CES MISÉRABLES!
¡PUES! À VRAI DIRE ...

C'EST DONC QUE VOUS M'AIMEZ UN PEU!
OÙ EST TON MAÎTRE? PARLE, MAROUFLE!

IL EST DESCENDU À TERRE POUR RECRUTER UN NOUVEL ÉQUIPAGE, L'ANCIEN N'ÉTANT PLUS EN MESURE DE POURSUIVRE LE VOYAGE...
EUH... ÉCOUTEZ, SEÑORITA, JE SUIS FORT AISE D'AVOIR PU VOUS VENIR EN AIDE...

... MAIS, DE GRÂCE, NE CHERCHEZ PLUS À ME REVOIR.
...LE SEIGNEUR CENILE AVAIT QUELQUE PEU ROGNÉ SUR LA QUALITÉ DES VIVRES DESTINÉS AUX MARINS... AU BOUT DE QUELQUES JOURS, CEUX-CI FURENT PRIS DE TORRENTIELS FLUX DE VENTRE... ET LA VUE DU NAVIRE TURC NE FIT QU'AGGRAVER LA CHOSE!

TENEZ. PRENEZ CETTE BOURSE! VOUS AUREZ LÀ DE QUOI RETOURNER À VENISE AUPRÈS DE VOS AMIS.
EUSEBE!
MONSIEUR?

5

VOUS POUVEZ GARDER VOTRE ARGENT, MONSIEUR LE "GRAND D'ESPAGNE"!
L'HONNEUR N'EST PAS LE PRIVILÈGE DES NOBLES!

ET PUISQUE JE VOUS SUIS INDIFFÉRENTE, ÉPARGNEZ-MOI AU MOINS LE MÉPRIS.

INDIFFÉRENTE !? AH! SEÑORITA! SI JE N'ÉCOUTAIS QUE... HUM!

OUI! VOUS M'ÊTES INDIFFÉRENTE! VOUS N'ÊTES RIEN POUR MOI! RIEN!!
VOUS ALLEZ RESTER ICI JUSQU'À NOTRE RETOUR ET VEILLER SUR NOS PRISONNIERS!
VOUS POUVEZ ME FAIRE CONFIANCE!

DISPARAISSEZ DE MA VIE! CESSEZ DE ME TOURMENTER!
D'APRÈS CE QUE NOUS A DIT LE BORGNE, ANDREO CONSERVERAIT TOUJOURS LA CARTE PAR DEVERS LUI!

IL NE NOUS RESTE PLUS QU'À FOUILLER UNE PAR UNE TOUTES LES TAVERNES DU PORT...
VOUS VENEZ, DON LOPE?
J'ARRIVE, J'ARRIVE!

6

POURQUOI, CRUEL, POURQUOI ME LAISSES-TU ENCORE ESPÉRER ? QUI DOIS-JE CROIRE ? TA VOIX, ET MA FIERTÉ ? OU MON CŒUR, ET TES YEUX ?

JE CONNAIS LE MOYEN DE LE SAVOIR...

CE PISTOLET N'EST PAS TROP LOURD ?

NON, IL N'EST PAS TROP LOURD ! DE PLUS, JE VISE JUSTE ET MA VIGILANCE EST SANS FAILLE. ET SI VOUS TENTIEZ DE VOUS ÉCHAPPER...

...JE SERAIS AU REGRET DE DEVOIR VOUS TIRER COMME UN... EUH... COMME UN CHIEN !
J'EN PRENDS BONNE NOTE.
MAIS DITES-MOI, MAÎTRE EUSÈBE, DANS QUEL BUT AVEZ-VOUS FAIT ESCALE À MALTE, VOUS ET VOS COMPAGNONS D'ARMES ?

AH ! AH ! EH BIEN NOUS SOMMES À LA RECHERCHE D'UN CERTAIN ANDREO SPILORCIO, FILS D'UN RICHE ARMATEUR VÉNITIEN...

CETTE CANAILLE A DÉROBÉ UNE CARTE APPARTENANT À MESSIEURS MES AMIS, QUI TIENNENT ABSOLUMENT À LA RÉCUPÉRER, ET POUR CAUSE ! ELLE INDIQUE LA ROUTE D'UN FABULEUX TRÉSOR...

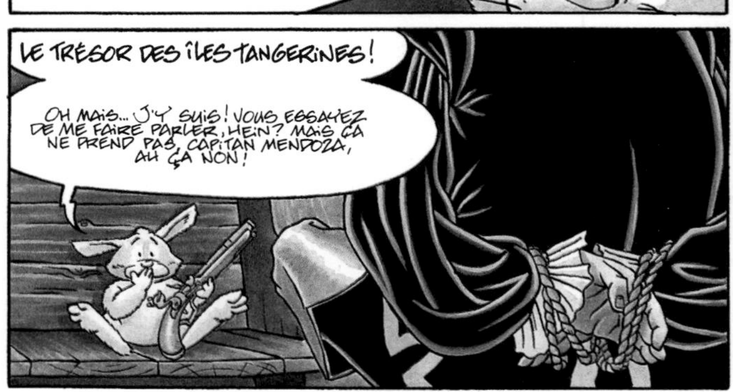
LE TRÉSOR DES ÎLES TANGERINES !
OH MAIS... J'Y SUIS ! VOUS ESSAYEZ DE ME FAIRE PARLER, HEIN ? MAIS ÇA NE PREND PAS, CAPITAN MENDOZA, AH ÇA NON !

MAIS PAS DU TOUT, VOYONS ! JE SERAIS BIEN NAÏF DE VOULOIR ME JOUER D'UN AUSSI SAGACE GEÔLIER ! NOON ! EN FAIT...
...J'AI EU VENT DE CERTAINES CHOSES AU SUJET DE CE TRÉSOR...
...DES CHOSES QUE JE PRÉFÉRERAIS NE PAS CRIER SUR LES TOITS !

APPROCHEZ, QUE JE VOUS LES DISE À L'OREILLE...

RENGAINEZ CETTE ÉPÉE, DON LOPE. LE MOMENT D'AGIR N'EST PAS ENCORE VENU...

JE PROPOSE D'ATTENDRE QU'IL QUITTE LA TAVERNE.
GRMBL !
CELA SEMBLE PLUS SAGE, EN EFFET. LES MARINS À SA TABLE ONT LA MINE FORT BASSE !

...BIEN SÛR, L'ÎLE AU TRÉSOR NE SERA PAS AISÉE À ATTEINDRE, MAIS AVEC UN NAVIGATEUR EXPÉRIMENTÉ TEL QUE VOUS, MONSIEUR BONEY BOONE...
CAPTAIN BONEY BOONE !
ÇA ! VOUS NE POUVIEZ PAS MIEUX TOMBER ! UN AUTRE VERRE DE RHUM ?
ALLEZ-VOUS VOUS TAIRE, À LA FIN !!

IL ME PLAIT DE BOIRE ENTRE GENS DE BONNE COMPAGNIE !

8

AH! AH!
ON PARLE, ON PARLE,
MAIS JE N'AI TOUJOURS
PAS VU CETTE FAMEUSE
CARTE!

LA VOICI!

ANDREO!
CETTE
VOIX!?

JE VOUS
RETROUVE
ENFIN!
HERMINE!

VERTUDIEU! UN
IMPONDERABLE!

OÙ ÉTIEZ-VOUS PASSÉ?!
J'AI CRU MOURIR
D'INQUIÉTUDE!
HMPF!?

9

BON. LA BOUTEILLE EST ENTRE LES MAINS DU VALET, ET IL SEMBLE AVOIR HÂTE DE QUITTER LES LIEUX. TENONS-NOUS PRÊTS !
OH, ANDREO !
RRRR !
SERREZ-MOI FORT DANS VOS BRAS !
RRRR !

HERMINE, MON HERMINE ! JE VOUS VEUX ÉPOUSER SUR-LE-CHAMP !
RRRRRR !!
JE N'EN ATTENDAIS PAS MOINS DE VOUS !

DON LOPE ! NON !!

AU SECOURGL !
AÏE.

AH ! ON-VEUT-JOU-ER LES-JO-LIS-COEURS, HEIN ?!
ARRÊTEZ ! ÉCOUTEZ-MOI !
MONSIEUR ! IL NOUS FAUDRAIT SONGER À RENTRER !
À MOI LA FLIBUSTE !!

10

DON LOPE! POURRIEZ-VOUS PRÊTER MAIN-FORTE AU RAÏS KADER? JE M'OCCUPE DU VALET!
ARGL.

AU PIED!

TUE! TUE!
LOPE!
VENEZ! LAISSONS-LES S'EXPLIQUER ET COURONS TROUVER UN PRÊTRE!

LÂCHEZ-MOI!!
HERMINE!

HÉ! LE LOUP! OÙ ES-TU PASSÉ? CES CHIENS ENRAGÉS VONT ME SUBMERGER!

CHAISE!

MISÉRABLE GREDIN ! CE NE SONT PAS QUEL-QUES LÉGUMES...

... QUI ARRÊTERONT ARMAND RAYNAL DE MAUPERTUIS !
YAAH !
PLUS VITE ! SEMEZ CE LOUP !

Puff !
Puff !
TROP TARD !
ON PEUT ENCORE LES RATTRAPER...

!?
MONTEZ DERRIÈRE...

12

ET ON VOUS EMMÈNE OÙ, COMME ÇA ?

À LA CATHÉDRALE, MON BON, CAR NOUS ALLONS NOUS MARIER !
JE VEUX DESCENDRE !

VOYONS, MON PETIT COEUR !
BAS LES PATTES !
DITES... JE CROIS BIEN QU'ON EST SUIVIS !

YAH-AH-AH !!

FI-DONC ! COMMENT PEUT-IL SE LIVRER À DE TELLES PANTALONNADES ?

NOUS ALLONS, QUANT À NOUS, TÂCHER DE RESTER DIGNES.
LA CARTE, JE VOUS PRIE.
HARDI, LES GARS !

LA CARTE AU TRÉSOR !
PESTE ! JE LES AVAIS OUBLIÉS, CEUX-LÀ !
TON AMI LE LOUP A EU LA BONTÉ DE ME LES LAISSER SUR LES BRAS !
QUE LES APPAS DE CETTE TZIGANE PUISSENT ÉCLIPSER LES MIENS, JE L'ENTENDS ! MAIS JE NE LUI PARDONNERAI PAS POUR AUTANT CE LÂCHE ABANDON !

NE LUI EN TENEZ PAS GRIEF. SON TEMPÉRAMENT L'INCLINE PARFOIS À RÉFLÉCHIR AVEC SES ARTÈRES !
ET PUIS SOURIEZ, QUE DIABLE ! NOUS L'AVONS, VOTRE CARTE !

HMPH ! UN AFFRONT PAR ICI, UN AFFRONT PAR LÀ... MON DÉSIR DE LE TUER RISQUE DE S'ENTACHER DE RANCUNE !

PAR LES ROTULES DE BELZÉBUTH ! ILS VONT NOUS ÉCHAPPER !
JE NE SAIS PAS S'ILS IRONT BIEN LOIN COMME CELA...
HI-HAN !

14

PLACE !!
COMMENT LES RETROUVER DANS UNE TELLE COHUE ?

OH ! MONSIEUR DE VILLALOBOS !

QUE DIABLE FAITES-VOUS ICI, VOUS ?

MENDOZA ! ÉVADÉ ! À L'ISSUE D'UN ÂPRE CORPS À CORPS...! M'A TRAÎTREUSEMENT ASSOMÉ ! DONNE L'ALERTE ... DES SOLDATS PARTOUT !
PLUS TARD ! POUR L'HEURE, RENDEZ-VOUS UTILE !

MAÎTRISEZ L'HOMME DE TÊTE !

15

CAPITAN! CAPITAN!

ON A APERÇU LE LOUP! IL A PRIS D'ASSAUT UNE CHAISE À PORTEURS, À L'AIDE D'UN CUL-DE-JATTE ET D'UN LAPIN!
PARFAIT! NOUS ALLONS NOUS CHARGER DE LUI! VOUS AUTRES, CONTINUEZ À PASSER LA VILLE AU PEIGNE FIN! ET RAPPELEZ-VOUS: JE VEUX LE FRANÇAIS VIVANT!

TERRE!
HARO SUR LE BAUDET!
MON PAUVRE MAÎTRE!
DON LOPE! EUSÈBE!
DEUS QUI EST SANCTORUM SPLENDOR MIRABILIS...
HI-HAN!
YAHOU!
MES YEUX! JE SUIS AVEUGLE!
MONSIEUR DE MAUPERTUIS! LE RAIS KADER!
LA CHAISE À PORTEURS!
REGARDE, PETIT: UNE PROCESSION EN L'HONNEUR DE SAINT CHRISTOPHE!
À MOIRGL!
LE PETIT RODRIGUEZ? IL EST DANS LES LANCIERS, MAINTENANT?
ET VOILÀ LE RENARD! SUR UN ÂNE! CETTE FOIS, JE LES TIENS!

76

CATACLOP CATACLOP
CATACLOP

STEP STEP STEP STEP

TAGADAP
TAGADAP
TAGADAP

RUMBLE RUMBLE
RUMBLE

...ET OS MEUM ANNUNTIABIT LAUDEM TUAM...

RRRRRRRRRRRRR

BADABOUM !

POC!
RL
RL

BLING
BELING
GUELING

POF!

HÉ HÉ!

17

MONSIEUR! PAR ICI, VITE!

AH, TE VOILÀ, TOI! OÙ BAGUENAUDAIS-TU DONC, TANDIS QUE J'ENCOURAIS LES PLUS GRAVES PÉRILS?!
HÉ, HO! ÇA VA, HEIN!
JE ME DÉMÈNE COMME UN BEAU DIABLE POUR ARRANGER LES EXTRAVAGANTES AFFAIRES DE COEUR DE MONSIEUR...
...JE REÇOIS À SA PLACE DES COUPS DE BÂTON QU'IL N'AURAIT PAS VOLÉS...

...ET JE RISQUE MA VIE POUR CONSERVER CETTE PRÉCIEUSE CARTE DONT MONSIEUR N'A RIEN, MAIS VRAIMENT RIEN À BATTRE! TOUT ÇA POUR...
COMME TU M'ÉMEUS, MON HERMINE, MÊME INANIMÉE!

NON, MAIS! IL M'ÉCOUTE ?!
HEIN?
AH, OUI!
SI VOUS N'AVEZ CURE DE LA MISSION QUE VOTRE PÈRE VOUS A CONFIÉE, TEL N'EST PAS MON CAS! JE COMPTE BIEN TROUVER CE TRÉSOR ET M'EN GARDER UNE SUBSTANTIFIQUE PART!

JE NE TIENS PAS À RESTER JUSQU'À LA FIN DE MES JOURS LE VALET D'UN FOLÂTRE INCONSÉQUENT! ET N'EÛT ÉTÉ L'ENFANCE QUE NOUS PARTAGEÂMES, VOUS, VOTRE SOEUR ET MOI, DANS LE GIRON DE LA MÊME NOURRICE, IL Y A BEAU TEMPS QUE J'AURAIS...

OHÉ!
YOUHOU!

MONSIEUR BONEY BOONE! PAR ICI! NOUS AVONS RETROUVÉ LA CARTE!
C'EST PAS VRAI!?

Y'A UN BON DIEU!
TU VOIS BIEN QUE JE N'OUBLIE PAS LA MISSION: VOICI NOTRE NOUVEL ÉQUIPAGE!
MAIS BOUGRE D'ANIMAL! NE VOYEZ-VOUS PAS QUE CE SONT DES PIRATES!? DES PI-RA-TES!!
BOUGEZ PAS! ON ARRIVE!

AAH! MON AMI ANDREO! OUBLIONS VOTRE VIEILLE CARAQUE ET SES FLATULENTS MATELOTS...
GRIMPONS PLUTÔT À BORD DE MON FIER TROIS-MÂTS! IL NOUS MÈNERA PLUS VITE QUE LE VENT JUSQU'À CES ÎLES ENCHANTERESSES OÙ TANT D'OR NOUS ATTEND!

18

ILS N'ONT PAS PU SE VOLATILISER ! FOUILLEZ CHAQUE RECOIN ! SOULEVEZ LA MOINDRE PIERRE !
ET QUI C'EST QUI VA NOUS PAYER NOTRE COURSE, HEIN ?
ET LA MIENNE ?

TENEZ, MON FILS, ET GARDEZ LA MONNAIE...
?!

♪ PLOUM ♪ PLOUM PLOUM ♪

LES PIRATES !
ILS ONT LA CARTE !
ET HERMINE !

REVENONS À LA CHALOUPE ! NOUS LES ABORDERONS EN HAUTE MER, AVEC MA CHÉBEQUE !
IMPOSSIBLE ! MENDOZA A D'ORES ET DÉJÀ DÛ FAIRE BOUCLER TOUTES LES PORTES DE LA VILLE !
Mmmh... PLACER LES CHAÎNES ET VERROUILLER LE PORT LUI PRENDRA PLUS DE TEMPS... LES FLIBUSTIERS AURONT TOUT LOISIR DE PRENDRE LE LARGE... NOUS DEVRIONS PROFITER DE CETTE ULTIME ÉCHAPPATOIRE ET GAGNER LEUR BORD !

EMBARQUER AVEC EUX ?! TU NE PARLES PAS SÉRIEUSEMENT ?...
OH, QUE SI ! NOUS ALLONS MÊME NOUS EMPARER DE LEUR NAVIRE !
J'AI UN PLAN.

RAÏS KADER... SAURIEZ-VOUS LOCALISER L'ÉCOUTILLE MENANT À LA SAINTE-BARBE ?

19

LA SAINTE-BARBE? VOUS AVEZ DE CES NOMS, VOUS LES CHRÉTIENS! TU VEUX PARLER DE LA PIÈCE OÙ SONT REMISÉES LA POUDRE ET LES MUNITIONS DU BORD?
C'EST CELA MÊME.
NOUS AVONS DE LA CORDE...

CE SABORD, À LA POUPE, DEVRAIT PERMETTRE DE S'EN APPROCHER.
IL NOUS FAUDRAIT UN GRAPPIN...

EUSEBIO!
OH NON!

LARGUEZ LES AMARRES!!

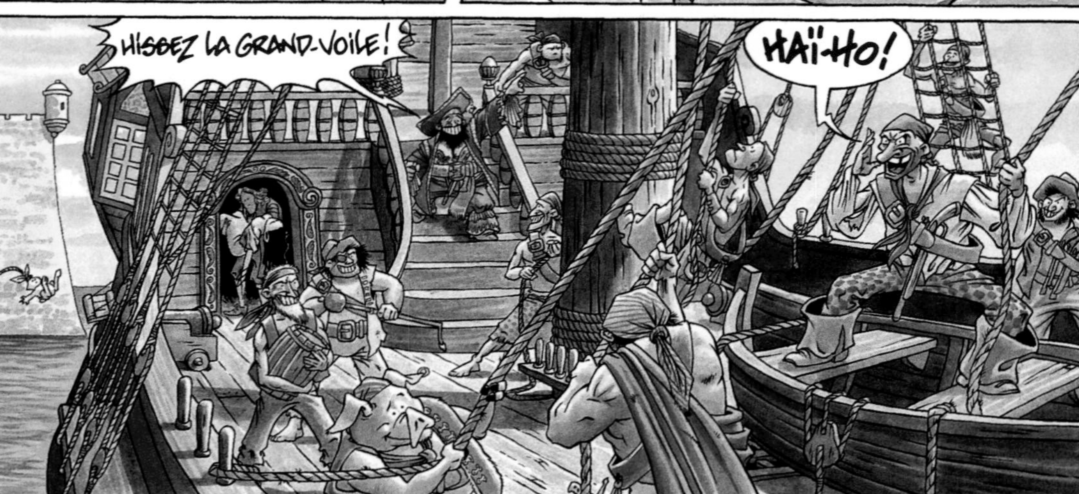
HISSEZ LA GRAND-VOILE!
HAÏ-HO!

ÉTABLISSEZ HUNIERS ET CACATOIS!
HAÏ-HOO!
TIMONIER! LAISSE VENIR AU VENT!
HAÏ-HOOO!

HAÏ-HO UN CRÂNE ET DEUX TIBIAS
LE BEAU PAVILLON QUE VOILÀ'À'À

20

MER AZUR ET SANG ÉCARLATE NOUS SOMMES DE JOYEUX PI...
SILENCE !
PAS LA CHANSON DES PIRATES !!

TANT QUE NOUS NE SOMMES PAS SORTIS DU PORT, NOUS RESTONS DE JOYEUX ET HONNÊTES MARCHANDS !
MAIS, CAPTAIN, ÇA NE RIME PAS !

ALLONS... NE SOIS PAS TRISTE !

TU LE REVERRAS, TON MENDOZA !
PARLE-NOUS PLUTÔT DE TON PLAN.
NOUS ALLONS NOUS BARRICADER DANS LA SAINTE-BARBE...

... PUIS, AVEC ASSEZ DE DÉTERMINATION DANS LA VOIX POUR QU'ILS NOUS CROIENT PRÊTS À TOUTES LES EXTRÉMITÉS, NOUS EXIGERONS DES PIRATES QU'ILS DÉPOSENT LES ARMES, LES MENAÇANT DE FAIRE SAUTER LE NAVIRE S'ILS N'OBTEMPÈRENT POINT.
PTENG !

JE POURSUIS: NOUS ÉTANT RENDUS MAÎTRES DU VAISSEAU, NOUS CINGLERONS VERS LE POINT DE RENDEZ-VOUS DONT VOUS CONVINTES AVEC L'ÉQUIPAGE DE VOTRE CHÉBEQUE.
REFERMEZ BIEN LA PORTE, EUSEBIO!

DE LÀ, VOUS POURREZ PARTIR, CARTE EN MAIN, À LA RECHERCHE DE VOTRE TRÉSOR. ET NOUS SERONS QUITTES!
ET JE POURRAI ENFIN OCCIRE LE LOUP EN TOUTE SÉRÉNITÉ!
¡PUES! QU'ON EN FINISSE! JE VOUS TUE, ET ON N'EN PARLE PLUS. PUIS JE RACCOMPAGNERAI HERMINE À VENISE. APRÈS QUOI...
VOUS ALLEZ L'ÉPOUSER?

DE QUOI JE ME MÊLE?
PROCURONS-NOUS TOUT D'ABORD DES MOUSQUETS.
J'AI LÀ DE QUOI NOUS ÉCLAIRER UN PEU.
PRENEZ GARDE! LA MOINDRE ESCARBILLE POURRAIT PROVOQUER UNE EXPLOSION!
N'AIE CRAINTE, JE NE FERAI PAS DE FEU.

QU'EST-CE DONC QUE CELA?
UNE PIERRE DE LUNE.
Snif! Snif! LEUR POUDRE À CANON A DE CURIEUSES FRAGRANCES!
MONSIEUR! MONSIEUR!

QUELLE SINGULIÈRE COÏNCIDENCE! CE JOYAU SEMBLE AVOIR ÉTÉ TAILLÉ DANS LA MÊME ROCHE!
D'OÙ LE TIENS-TU?
QU'Y A-T-IL, EUSEBIO?

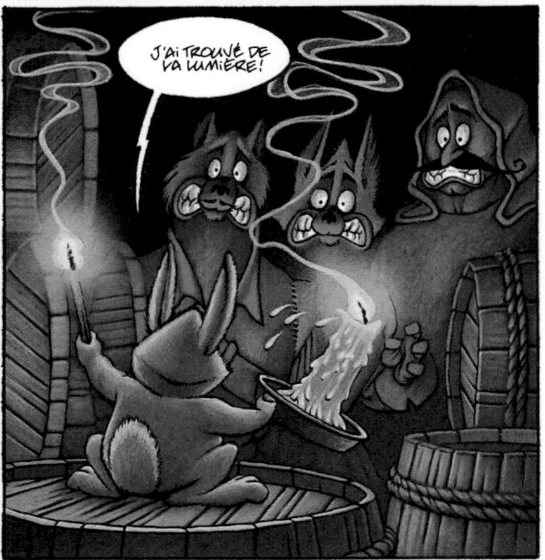
J'AI TROUVÉ DE LA LUMIÈRE!

ÉTEIGNEZ ÇA, MALHEUREUX!
VOUS ALLEZ TOUT FAIRE SAUTER!
Euh... JE NE VOUDRAIS PAS VOUS CONTRARIER...

...MAIS CELA M'ÉTONNERAIT!

LES ÎLES TANGERINES !?
ASSURÉMENT. IL N'Y A DANS CES PARAGES AUCUNE TERRE ÉMERGÉE...

...HORMIS CE MYTHIQUE ARCHIPEL QU'APERÇURENT QUELQUES NAVIGATEURS ÉGARÉS, TEL MON BISAÏEUL FRIEDRICH QUE DES VENTS CONTRAIRES AVAIENT ÉLOIGNÉ DES COULOIRS MIGRATOIRES...
MAIS NUL N'A JAMAIS PU Y METTRE LE PIED.
JAMAIS.
L'OCÉAN SEMBLE S'ACHARNER SUR CES ROCS INCONGRUS, DÉCHAÎNANT CONTRE EUX D'EFFROYABLES TEMPÊTES !

...ET LORSQUE S'APAISE ENFIN L'IRE DES FLOTS HURLANTS, INSIDIEUSEMENT S'INSTALLENT D'IMPERSCRUTABLES BRUMES QUI DISSIMULENT AUX YEUX DES HOMMES CES ÎLES OUBLIÉES DE DIEU ! UN DÉDALE DE SOURNOIS RÉCIFS AUX ARÊTES FATALES ACHÈVE ENFIN D'EN ASSURER L'INACCESSIBILITÉ !
MMOUAIS. LA CARTE INDIQUE CLAIREMENT LA POSITION DE L'ARCHIPEL...

...AINSI QUE CELLE DES RÉCIFS ! RIEN NE S'OPPOSE DONC À CE QUE NOUS FOULIONS D'UN PIED HARDI CES VIERGES RIVAGES !

C'EST PURE FOLIE, MONSIEUR BOONE !
CAPTAIN BOONE !

VOGUONS PLUTÔT VERS LA JAMAÏQUE ! L'OR ESPAGNOL SERA PLUS AISÉ À CONQUÉRIR QUE CET HYPOTHÉTIQUE TRÉSOR !
HYPOTHÉTIQUE ? DITES-MOI, OISEAU DE MAUVAIS AUGURE, CE QU'ÉVOQUENT POUR VOUS LES ÎLES TANGERINES !

EH BIEN... ON DIT QUE LEURS EAUX GROUILLENT DES PLUS ABOMINABLES BÊTES ABYSSALES...
QUOI D'AUTRE ?
QUE LE HOLLANDAIS VOLANT Y FAIT PARFOIS RELÂCHE...
MAIS ENCORE ?
D'AUCUNS Y SITUENT MÊME UNE DES ENTRÉES DE L'ENFER !
HA ! HA ! MAIS SURTOUT... SURTOUT ?

ON VOIT EN ELLES L'ULTIME VESTIGE DE L'ANTIQUE ATLANTIS.
TOUT JUSTE, MONSIEUR DE CIGOGNAC ! TOUT JUSTE !!
FROUTCH

ATLANTIS, LE CONTINENT ENGLOUTI ! ATLANTIS, AUX CITÉS PAVÉES D'OR ! ATLANTIS DONT LES FABULEUSES RICHESSES NOUS ATTENDENT !
MAIS, EUH... ET LES MONSTRES MARINS ?

PAR LES FÉMURS DE LUCIFER ! ILS NE FERONT PAS RECULER DES MARINS MONSTRUEUX !
CAP SUR LES ÎLES TANGERINES !
GWEK !
ET LE TRÉSOR DES ATLANTES !

23

ON DIRAIT UN ANGE !
CHUUT !
OÙ... OÙ SUIS-JE ?

VOUS FÎTES UNE MAUVAISE CHUTE LORSQUE LA CHAISE À PORTEURS HEURTA LA PROCESSION...

MAIS TOUT VA BIEN MAINTENANT, VOUS ÊTES HORS DE DANGER !
À MOI, GARÇONS !

VENEZ ÇÀ, QUE JE VOUS HARANGUE !

GARÇONS, JE VAIS VOUS MENER À LA FORTUNE !
OUAIIS !!
ÊTES-VOUS PRÊTS À AFFRONTER LES PLUS GRANDS PÉRILS ?
OUAIS !

ÊTES-VOUS PRÊTS À ME SUIVRE, S'IL LE FAUT JUSQU'AU FIN FOND DE L'ENFER ?!
OUAIS.
EUH... MOYEN.
'FAUT VOIR.
GARÇONS ! QUI SOMMES-NOUS ?

D'HONNÊTES MARCHANDS ?
DE JOYEUX PIRATES !
NOUS SOMMES DE TERRIBLES PIRATES, PAR LES CLAVICULES D'ASTAROTH ! ET NOUS NE CRAIGNONS NI DIEU, NI DIABLE !
ET TEL UN DÉFI CLAQUANT AU VENT, TEL UN SOUFFLET JETÉ À LA FACE DES PUISSANCES TERRESTRES ET CÉLESTES...

...NOUS ALLONS HISSER LE PAVILLON NOIR !
OUAIS !
ET METTRE EN PERCE UN BARIL DE RHUM !
OUAIIIS !!
HOURRA !
VIVE LE CAPTAIN BOONE !

24

FLAPO
FLAPO
NOUS SOMM' DE TERRIBLES PIRATES!

HA! HA! CHANTEZ, GARÇONS, CHANTEZ! ÇA VOUS DONNERA DU COEUR AU VENTRE!
MONSIEUR BOONE!

PAS "MONSIEUR", IMPUDENT TOURTEAU! "CAPTAIN"! CAP-TAIN!
ÇA... CAPTAIN! LA CAM... LA CAMBUSE!
QUOI, LA CAMBUSE? QU'EST-CE QU'ELLE A, LA CAMBUSE?

JE SUIS DESCENDU CHERCHER LE RHUM, COMME VOUS L'AVIEZ DEMANDÉ...
...MAIS C'ÉTAIT FERMÉ! UN GROUPE DE GENS DÉTERMINÉS S'EST BARRICADÉ DANS LA CAMBUSE! ILS EXIGENT QUE NOUS DÉPOSIONS LES ARMES ET LEUR CONFIIONS LE COMMANDEMENT DU NAVIRE... SINON...
SINON?

ILS MANGENT TOUT!
ILS... QUE? BEUH? QUOI?!

ÇA NE SE PASSERA PAS COMME ÇA, MILLE TIBIAS!!

SORTEZ DE LÀ! JE NE LE RÉPÉTERAI PAS!
SEULEMENT SI VOUS CÉDEZ À NOS EXIGENCES!
HÂTEZ VOTRE DÉCISION, CAR NOUS AVONS GRAND-FAIM!
ON VA TOUT MANGER!

VOUS BLUFFEZ!
MIAM!
GLORP!
BÂFF!

BURP!
ILS NE BLUFFENT PAS!

UN PEU DE RHUM, COMPADRE?
LE... LE RHUM!!
NON MERCI. MA RELIGION ME L'INTERDIT. MAIS JE REPRENDRAI VOLONTIERS DU THÉ AVEC LES BISCUITS!
C'EST IGNOBLE!
ÇA N'A PAS DE NOM!
'OUS 'OULEZ PLUS DE POULET?
COMME CES CAROTTES SONT TENDRES!
SCÉLÉRATS!

ILS NOUS TIENNENT!
QU'EST-CE QU'ON VA FAIRE?!
CHUT! JE RÉFLÉCHIS...

25

L'IMAN BAYILDI EST ENFIN PRÊT !
QUELLE EST DONC CETTE DIABLERIE ?
LE NOM SIGNIFIE : "L'IMAN ÉVANOUI", CAR SELON LA LÉGENDE...

... UN SAINT HOMME DE MON PAYS SE SERAIT JADIS ÉVANOUI DE BONHEUR EN DÉGUSTANT CE SUCCULENT GRATIN D'AUBERGINES !
ATTENTION, C'EST CHAUD !

ATTENDEZ, ON VA VOUS FAIRE UN PEU DE PLACE.

¡ MADRE DE DIOS ! C'EST À S'EN LÉCHER LES BABINES, VOTRE TRUC !
WA DÎN ALLAH ! CE CONFIT DE POULARDE FAÇON MAUPERTUIS EST UN PUITS DE FÉLICITÉ GUSTATIVE !
CAPDEDIOUS ! QUE DIRE ALORS DU GASPACHO DE DON LOPE !
MCH, MIOM. CHETTE AGAPE M'INCHPIRE QUELQUES VERS...

BREU-HUM !
La recette barbare aux denrées improbables,
Née de la sombre sylve ou des torrides sables,
Intrigue le gourmet qui brûle de savoir
En quoi varie ce plat de ceux de son terroir !

Aux marches du palais hésite sa cuillère.
Mais cet émoi passé, l'instrument réitère
De bol en bouche bée son aller, ses retours,
Car le mets était bon sous ses louches atours !
HÉ ! PSST !

On peut à ce gourmet
comparer l'honnête homme
Qui, face à l'étranger,
agit en gastronome !

26

Allant vers son prochain pour goûter la saveur
Du sel d'un bel esprit, du sucre d'un bon coeur,
Il fait fi du faciès, du comment-on-s'habille
Et franchit le limes dont se rient les papilles !

HA! HA! HA! HOU! HOU! HOU!
MAIS JE VOUS SENS LASSÉS. CESSONS-LÀ CE LAIUS D'ÉRASME DE COMPTOIR, DE GROSSIER LUCULLUS... POUR SAVOURER LA JOIE D'UN REPAS ENTRE AMIS !

PRENDREZ-VOUS AVEC MOI DE CE BON SALAMI ?
PFHOUUU !

NON, SÉRIEUSEMENT ! VOUS DEVRIEZ VOUS VOIR LORSQUE VOUS DÉCLAMEZ !
ÇA VEUT DIRE QUOI "LIMES" ?
PRONONCEZ "LIMÈS", EUSÈBE.

OH-LÀ-LÀ ! REGARDEZ UN PEU CE QUE J'AI TROUVÉ !
CE N'EST PAS UN GALION, C'EST UNE AUBERGE !
PLOP

AAH ! LE DESSERT !
LOUKOUMS, BAKLAVAS ET GALETTES AU MIEL ! VOUS ALLEZ M'EN DIRE DES NOUVELLES !
ATTENDEZ ! J'EN SUIS ENCORE AU FROMAGE !
ASSEZ ! ASSEZ ! ASSEZ !
EUH... DU CALME, LES GARS ! J'ENTENDS LE CAPTAIN QUI ARRIVE ! IL SEMBLE AVOIR TROUVÉ UNE SOLUTION !

POUR LE PREMIER SERVICE DU SOUPER, JE SUGGÈRE UN LÉGER POTAGE. PUIS QUELQUES HORS-D'OEUVRE : PERDRIX À L'ESTOUFFADE, OEUFS EN MEURETTE, RISSOLES DE CHAPON ET PETITS PAVÉS DE HACHIS DE BOEUF À LA CIBOULETTE. PUIS LES SIX ENTRÉES...
SORTEZ ! OU J'EXÉCUTE LES OTAGES !
LA FÊTE EST FINIE, POURCEAUX D'ÉPICURE ! IL EST TEMPS DE PASSER À LA REDDITION !

27

...À COMMENCER PAR VOTRE AMI ANDRÉO !
FAITES, MON BRAVE, FAITES...
POUÔF !

ET SI JE DÉPÊCHAIS AUSSI SON FONDÉ DE POUVOIR ?
COMME VOUS Y ALLEZ ! JE NE SUIS QUE VALET ! CELA NE FAIT PAS UNE BONNE MONNAIE D'ÉCHANGE !

ET LA BOHÉMIENNE, HEIN ?! SI JE TUAIS LA BOHÉMIENNE ?
¡ AY !

TOUCHEZ À UN SEUL DE SES CHEVEUX, ET VOUS MOURREZ DE FAIM JUSQU'AU DERNIER !

CETTE FOIS, ILS SONT MÛRS !
NOUS JOUONS AVEC LE FEU, AMIGO !
DERNIÈRE SOMMATION !!

SI VOUS NE VOUS RENDEZ PAS, ON... EUH... ON... ON...
ON MANGE LES OTAGES !

VOUS N'OSERIEZ COMMETTRE UNE TELLE INFÂMIE ?!
JE CRAINS QUE SI ! CES FAUVES N'HÉSITERAIENT PAS À SE NOURRIR DE CHAIR HUMAINE !

NOOON !!
ALORS ? J'ATTENDS !

LA DÉCISION VOUS APPARTIENT. JE NE VEUX PAS VOUS FORCER LA MAIN.
NOS CONSCIENCES NOUS DICTENT CE QUE TON COEUR T'ORDONNE.

CABALLEROS ! AUREZ-VOUS ASSEZ D'HONNEUR POUR LAISSER ALLER VOS OTAGES ET RÉGLER CELA LES ARMES À LA MAIN ?
DES NÈFLES !
METTEZ-MOI TOUT CE JOLI MONDE À FOND DE CALE, AVEC LES RATS !

... ET QUAND LE MAURE ET LE RENARD M'ONT QUESTIONNÉ AU SUJET DE LA CARTE, ILS ÉTAIENT BIEN LOIN DE S'IMAGINER QUE J'AVAIS PRIS SOIN D'EN FAIRE UNE COPIE !

C'ÉTAIT PLUS PRUDENT, ANDREO EST SI TÊTE EN L'AIR ! JE M'ÉTAIS DIT EN OUTRE QUE CELA POURRAIT TOUJOURS SERVIR... LA PREUVE ! HÉHÉ !
HÉ.HÉ.
ET TU Y CROIS, TOI, À L'EXISTENCE DE CE TRÉSOR ?

SI J'Y CROIS !?
CE VIEUX GRIGOU DE SPILORCIO RENIFLE L'OR À PLUS DE MILLE LIEUES ! ET IL DEVAIT ÊTRE BIEN SÛR DE SON FAIT POUR FINANCER UNE TELLE EXPÉDITION, LUI QUI SAIGNE AU MOINDRE SOL VERSÉ !
ET PUIS, TOUT LE MONDE A ENTENDU PARLER DES ÎLES TANGERINES ! CE MYTHIQUE ARCHIPEL QU'APERÇURENT QUELQUES NAVIGATEURS ÉGARÉS...

ABRÈGE. JE CONNAIS LA SUITE. PARLE-MOI PLUTÔT DE CE GALION BATTANT COMPLAISAMMENT PAVILLON PORTUGAIS, À BORD DUQUEL SE SERAIENT ENFUIS TON MAÎTRE ET LA CLIQUE D'AVENTURIERS QUI LE RECHERCHAIENT.
QUEL GALION ?

UN GALION QUI FAIT CERTAINEMENT VOILE VERS CES ÎLES.
ES-TU BIEN SÛR DE M'AVOIR TOUT DIT ?

VOUS EN SAVEZ AUTANT QUE MOI, VOTRE GRÂCE !... IL SERAIT PEUT-ÊTRE TEMPS DE SONGER À UNE PETITE RÉCOMPENSE !
ME JURES-TU DE NE TOUCHER MOT DU TRÉSOR À PERSONNE ?

JE LE JURE, VOTRE EXCELLENCE ! SUR MA TÊTE, JE LE... ?!
KRIKCH

PAW !

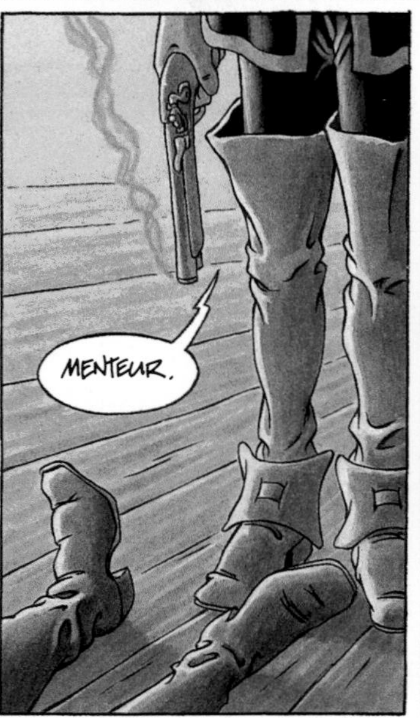

MENTEUR.

Ô BIENHEUREUSES ÎLES TANGERINES ! VOS RICHESSES ME TENDENT LES BRAS ! À MOI LA FORTUNE ! LE POUVOIR !
ET LA VENGEANCE !

ALLEZ ! FAIS PAS TA MIJAURÉE !

ÔTEZ VOS SALES PATTES DE LÀ !!

VOUS ALLEZ LE LÂCHER, OUI !?
AÏE !
MAIS MADAME ! LE CAPTAIN, IL A DIT QUE C'ÉTAIT DÉFENDU DE VOUS APPROCHER ! 'FAUT BIEN QU'ON S'OCCUPE !

C'EST PAS BIENTÔT FINI, CE CIRQUE ?!

REMONTEZ DANS VOS HAUBANS, PARODIES DE SINGES ! PERSONNE N'ATTENTERA À L'HONNEUR DE PERSONNE TANT QUE JE N'EN AURAI PAS DONNÉ L'ORDRE !

PARDONNEZ À CES BRUTES, MADAME, ILS N'ONT PAS ÉTÉ À L'ÉCOLE ! ET SOUFFREZ QUE JE VOUS INVITE À MA TABLE ! VOUS POURREZ Y POURSUIVRE VOTRE LECTURE... J'AI GRAND-HÂTE DE CONNAÎTRE LA SUITE !

JE VOUS AI FAIT PRÉPARER UNE CABINE, AINSI QUE QUELQUES EFFETS. N'AYEZ CRAINTE, LEURS ANCIENNES PROPRIÉTAIRES NE VIENDRONT PAS VOUS LES RÉCLAMER ! HUERK ! HUERK ! HUERK !
ARRÊTEZ ! PAR PITIÉ !

MAIS ALLEZ-VOUS VOUS TAIRE, À LA FIN ?!
LE ROULIIIS ! JE SUIS MALÂÂDE !
À FOND DE CALE, AVEC LES RATS !
À FOND DE CALE... AVEC... LES RATS !
...AVEC LES RATS !

DES BÊTES !
DE VRAIES BÊTES !
J'AI TROP MANGÉ !
KAÏ ! KAÏ ! KAÏ !
HAWOOOUUUU

30

UN ROI! QUEL ROI? MAIS QUE LISEZ-VOUS DONC?
HAWOOOOJJUUUU

LE ROI... LE ROI... CE N'EST GUÈRE AISÉ À DÉCHIFFRER! VOUS ÊTES SI FORTUNÉ QU'UNE MULTITUDE DE LIGNES DE CHANCE SE CHEVAUCHENT ET S'ENTRECROISENT SUR VOTRE PAUME!
LE ROI D'ANGLETERRE ?!
Mmmh... LES LIGNES PARLENT DU SOUVERAIN D'UNE GRANDE ÎLE NOYÉE DANS LES BRUMES...

MILLE TIBIAS! C'EST BIEN LE ROI D'ANGLETERRE!
IL VOUS REÇOIT À LA COUR... IL VOUS CONFIE DE HAUTES FONCTIONS ...

DE HAUTES FONCTIONS!? ...AMIRAL?
JE VOIS UNE NUÉE DE VAISSEAUX SOUS VOS ORDRES...

AMIRAL DE LA FLOTTE!? COMME SIR FRANCIS DRAKE! VA-T-IL M'ANOBLIR, MOI AUSSI?
SIR BOONE! ÇA SONNERAIT BIEN!
NON. PAS "SIR" BOONE...

...LORD BOONE!
OH! OH! LORD BOONE! HU HU HU!
BRÔ!

VOUS AVEZ DÉJÀ LA PRESTANCE REQUISE POUR CE TITRE! JE SUIS SÛRE QUE VOUS EN POSSÉDEZ AUSSI LA GRANDEUR D'ÂME... TENEZ! JE SUIS PRÊTE À PARIER QUE VOUS SAUREZ FAIRE PREUVE DE MANSUÉTUDE À L'ÉGARD DE CES PAUVRES GENS DANS LA CALE!
JE CRAINS QUE NON, MILADY! VOUS SAVEZ, J'AI BEAU ÊTRE GENTLEMAN, JE N'EN RESTE PAS MOINS UN PIRATE!

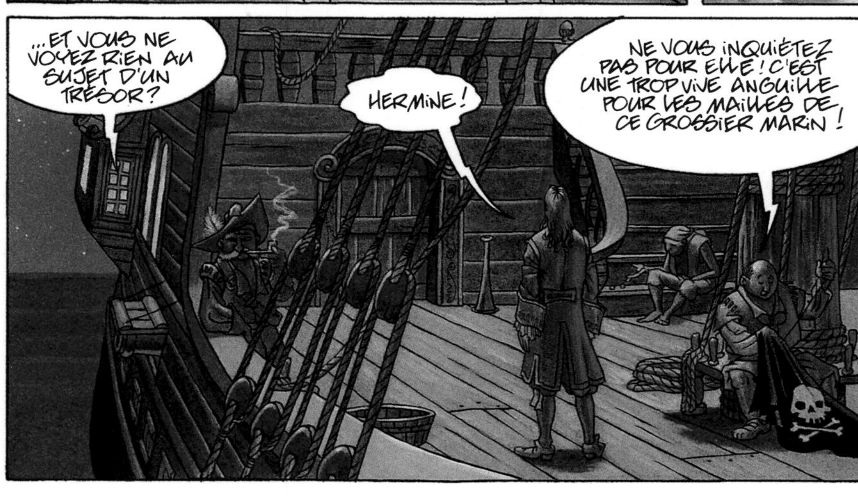
...ET VOUS NE VOYEZ RIEN AU SUJET D'UN TRÉSOR?
HERMINE!
NE VOUS INQUIÉTEZ PAS POUR ELLE! C'EST UNE TROP VIVE ANGUILLE POUR LES MAILLES DE CE GROSSIER MARIN!

BONNE NUIT, CAPITAINE!
SLAM!
CRIC CRAC!
OUVREZ-MOI, MA PETITE MOUETTE!
VOYONS, LORD BOONE!
Euh... HUM! WELL, BONNE NUIT, MILADY.

31

COMBIEN DE TEMPS ALLONS-NOUS ENCORE CROUPIR ICI ?!!
CRNNNNN GNNNNNN
LA HOULE A FORCI. NOUS DEVONS AVOIR FRANCHI LES COLONNES D'HERCULE...

PLUTÔT MOURIR QUE DE RESTER PLUS LONGTEMPS ENCHAÎNÉ ! AHRR! RRAW! HAW!
CETTE BELLE DE VENISE DONT TU M'AS PARLÉ... SI CHÈRE À TON COEUR...

TU DISAIS VOULOIR RÉPARER L'INJUSTICE DE SON SORT... MAIS POUR LA SOUSTRAIRE À SA TRISTE SITUATION ET LA COMBLER À L'AUNE DU SENTIMENT QUE TU LUI PORTES...

TU AURAS GRAND BESOIN D'ARGENT.
SÉLÉNÉ...
AUSSI, SI NOUS SORTONS VIVANTS DE CETTE PUTRIDE SENTINE...

...J'EXIGE QUE TU PRENNES TA PART DU TRÉSOR...
MAIS...
NE RÉPLIQUE PAS.
TA CAUSE ME PLAÎT. ...VOIS-TU, QUELQUE PART, UNE AUTRE ENFANT AUX SONGES TRISTES ATTEND QU'ON VIENNE LA CHERCHER...

...POUR LA RAMENER À LA MAISON.
VOUS DITES VRAI ! JE SERS UNE CAUSE !
ET JE DOIS TENIR BON ! PARBLEU ! QUE SONT CES CHAÎNES EN REGARD DE CELLES QUI ME LIENT À LA VIE ?!

VOILÀ QUI EST PARLER EN HOMME ! SI NOUS PARVENONS À TENIR JUSQU'AUX ÎLES TANGERINES, LES ÉFRITS QUI VEILLENT SUR LE TRÉSOR NOUS DÉBARRASSERONT DES PIRATES !
HUM ! VOS HISTOIRES DE DÉMONS ET DE PIERRE DE LUNE HEURTENT QUELQUE PEU MON ESPRIT CARTÉSIEN.

GARDONS LES PIEDS SUR TERRE ET ÉCHAFAUDONS PLUTÔT QUELQUE INGÉNIEUX PLAN D'ÉVASION ! CAR N'EN DOUTONS PAS...

...NOTRE FIDÈLE ET AVISÉ LAPIN VA BIEN TROUVER LE MOYEN DE NOUS PORTER SECOURS !
UN LAPIN ?!

OUI! UN LLAPIN! LE PLUS TERRIBLE PORTE-MALHEUR QU'UN NAVIRE PUISSE EMBARQUER! JE L'AI VU DANS LA CAMBUSE, AVIDEMENT PENCHÉ SUR UNE BOTTE DE CAROTTES!
LIVIDE TEL UN SPECTRE, IL RÔDE DANS NOS COURSIVES! N'ENTENDEZ-VOUS PAS SON COUINEMENT DÉMONIAQUE?
Ô FUNESTE AUGURE QUI FAIT DE CE VAISSEAU UNE ÉPAVE EN SURSIS!
FUNESTE AUGURE!
UN FÉTU DÉRISOIRE JETÉ SUR L'INSONDABLE ABÎME!
ABÎME!
PEUPLÉ D'AGONISANTS QUE L'OCÉAN RÉCLAME!
IL NOUS RÉCLAME!
MAÎTRE CHARPENTIER! FAIS-MOI UN CERCUEIL!
IL M'A DÉROBÉ UNE LIME! SÛREMENT POUR AFFÛTER SES CRUELLES INCISIVES!

DONG DONG
VOS GUEULES!

VOYEZ CE DOUBLON D'OR! IL SERA À CELUI QUI M'APPORTERA LA DÉPOUILLE DU LAPIN BLANC!
MENEZ BATTUE!
POSEZ COLLETS!

ET N'OUBLIEZ PAS QUE LA SEULE PEUR QUE DOIT CONNAÎTRE UN PIRATE EST CELLE QU'IL INSPIRE!
ET PAR LE COCCYX FOURCHU DE SATAN, JE M'EN VAIS VOUS EN FAIRE LA DÉMONSTRATION SUR-LE-CHAMP!

CHARPENTIER! VA ME CHERCHER UNE MAÎTRESSE PLANCHE!
IL EST TEMPS QUE NOS HÔTES PRENNENT UN BOL D'AIR!
HUERK HUERK HUERK!

RRR ZZZ RRR ZZZ
EN TOUT CAS, LE CHOC VOUS AURA ÉTÉ SALUTAIRE : VOUS AVEZ REPRIS DU POIL DE LA BÊTE!
NE ME REFAITES JAMAIS UN COUP PAREIL, EUSEBIO!

SI J'AI PU ME FAUFILER JUSQU'À VOUS SANS ÊTRE VU C'EST GRÂCE À CET HABILE DÉGUISEMENT! MON DON POUR L'IMITATION M'A AUSSI ÉTÉ FORT UTILE : JUGEZ PLUTÔT :
SCOUIQUE SCOUIQUE!

BRROUH!
RRR ZZZ
ALORS, CETTE GRILLE? ÇA VIENT?

EUH... C'EST OUVERT!

PETITS, PETITS, PETITS !

TOUT LE MONDE EST LÀ ? PARFAIT, ON VA POUVOIR COMMENCER.
VOUS QUI OSÂTES DÉFIER LES FRÈRES DE LA CÔTE...
...VOUS ALLEZ CONNAÎTRE LEUR COURROUX !!

VOUS PASSEREZ UN PAR UN À LA PLANCHE ! ET TANDIS QUE LES SQUALES VOUS METTRONT EN PIÈCES, NOUS RICANERONS DE MANIÈRE TERRIBLE !

À LA SUITE DE QUOI, GALVANISÉS PAR CETTE ORGIE DE SANG, NOUS POURRONS VOGUER JOYEUX VERS LES ÎLES TANGERINES ET LES FABULEUX TRÉSORS D'ATLANTIS !
ATTENDEZ !

DON LOPE !
SEÑORITA ! CETTE ROBE VOUS VA À RAVIR !

ADIEU ! JE PRIERAI POUR VOUS !
ET POUR QUE CES FORBANS AILLENT TOUS RÔTIR EN ENFER !

MILADY ! L'HEURE N'EST PAS AUX EFFUSIONS, MAIS AUX RICANEMENTS !
ALLEZ, ZOU ! AU PREMIER DE CES MESSIEURS !
COURAGE, EUSÈBE ! MONTREZ-LEUR COMMENT MEURT UN LAPIN !

ÇA MEURT TRÈS MAL UN LAPIN ! ÇA N'EN A PAS ENVIE DU TOUT !

GNARK YARK YARK !
ARG !
ARG ?

34

ASSEZ RICANÉ, BANDIDOS !

OUILLE ! QUAND IL PREND CET AIR-LÀ... ÇA VA FAIRE DU VILAIN !

¡ CARNE Y SANGRE !

MA GORGE ! JE SUIS ÉGORGÉRGL !
MES DENTS ! VE FUIS ÉDENTÉ !

MON FRONT ! JE SUIS EFFRONTÉ !
QUE DEVRAIS-JE DIRE !

¡ HOLA, EL CAPITÁN !
RESTE OÙ TU ES, JE VIENS TE CHERCHER !

QUI ÇA ? MOI ?

35

PAW!

JOLI COUP, CAPTAIN !
BOF ! JE LE VISAIS ENTRE LES YEUX...

AUX SUIVANTS !
ON N'A PAS QUE ÇA À FAIRE !
SOYEZ TOUS MAUDITS !
DON LOPE !

SPLASH !

36

HAÏ-HO!
HAÏ-HOO!

MER AZUR ET SANG ÉCARLATE
VLOUFF!

AHRR!
Huff! Huff!
Huff?
OHÉ!

PAR ICI!
ON A PIED!
?!

BIENVENUE À BORD!

¡HERMANO MIO! SERREZ-MOI DANS VOS BRAS!
JE LE FERAIS VOLONTIERS, GROSSE BRUTE, MAIS LA PUDEUR ME LIE LES MAINS!
OUPS!

AVEZ-VOUS UNE QUELCONQUE IDÉE DE NOTRE POSITION?
HMMM... PROBABLEMENT QUELQUE PART AU LARGE DES CANARIES...

...AU BEAU MILIEU DE L'ATLANTIQUE!

JE NE POURRAI PLUS AVALER UN SEUL DE CES MAUDITS BIGORNEAUX!

PEUH!
MÂCHEZ DONC UN PEU DE VARECH AVANT QUE LA MARÉE NE MONTE...
...LES TRÉSORS D'ATLANTIS! C'EST CE QU'A DIT LE CAPITAINE!
LE PARCHEMIN N'Y FAISAIT PAS ALLUSION -SFLPT-
NON... LES ÎLES TANGERINES, LA PIERRE DE LUNE, ÇA C'EST DU CONCRET!

L'ATLANTIDE N'EST QU'UN MYTHE, UNE LÉGENDE DE MARINS!
POURTANT, PLATON DISAIT...
ASSEZ PHILOSOPHÉ! EN AVEZ-VOUS FINI AVEC LA LIGNE?
J'AI TROUVÉ UN APPÂT!

N'EMPÊCHE QUE PLATON...

ALORS? ÇA MORD?

¡NADA!
SOUPIR

Au ciel sans horizon de cet aqueux Tartare Où loin de vous je gis, la lune est comme un phare.

Je vague à la lueur de ses bénins rayons

Vers un havre idéal où nous nous rejoignons.

Au miroir de vos yeux l'astre aime à se pencher. Que monte jusqu'à lui depuis ce plat rocher, Empennée d'un soupir ma pensée la plus tendre...

Il la fera sur vous doucement redescendre...

SÉLÉNÉ!

DESCENDS DONC À LA CAVE TIRER UN DEMI-VERRE DE VIN POUR NOTRE HÔTE!

IL NOUS APPORTE DES NOUVELLES DE CE CHER ANDREO!
CHER ANDREO! COÛTEUX ANDREO! MONSIEUR S'EST FAIT ENLEVER PAR DES PIRATES! ÇA COMMENCE À DEVENIR UNE HABITUDE!

QUE DIABLE ALLAIT-IL FAIRE EN CE GALION? ET VOUS, HEIN? QUE VENEZ-VOUS FAIRE ICI?
VOUS N'AVEZ TOUT DE MÊME PAS FAIT LE VOYAGE DEPUIS MALTE DANS LE SIMPLE BUT DE CONSOLER UN PÈRE ÉPLORÉ?!
CERTES NON, MESSER SPILORCIO!

JE VIENS SOLLICITER VOTRE CONTRIBUTION.
QUELLE VILAINE PHRASE!
PROCUREZ-MOI UN VAISSEAU D'AU MOINS SOIXANTE CANONS. ARMÉ À VOS FRAIS...
À MES FRAIS?! SOIXANTE CANONS?

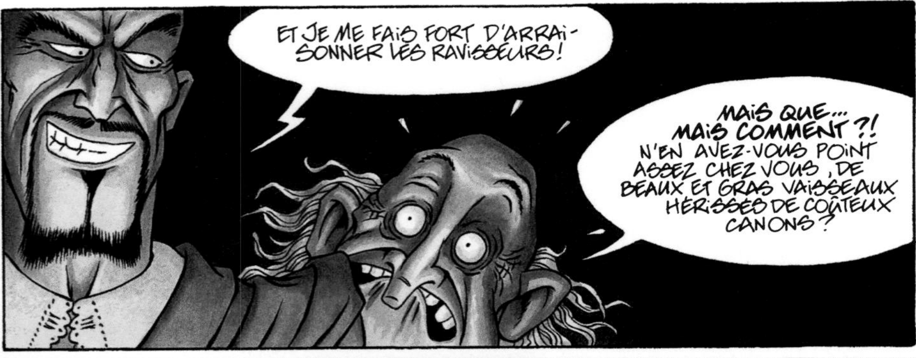
ET JE ME FAIS FORT D'ARRAISONNER LES RAVISSEURS!
MAIS QUE... MAIS COMMENT?! N'EN AVEZ-VOUS POINT ASSEZ CHEZ VOUS, DE BEAUX ET GRAS VAISSEAUX HÉRISSÉS DE COÛTEUX CANONS?

HÉLAS! UNE CHÉBÈQUE AYANT ÉTÉ APERÇUE RÔDANT DANS LES EAUX MALTAISES, LE PRINCE GRAND PRIEUR A MOBILISÉ TOUTE LA FLOTTE DANS LA CRAINTE D'UNE OFFENSIVE TURQUE!
MOUAIS MOUAIS MOUAIS... LA PHILANTHROPIE ME PARAÎT TOUJOURS SUSPECTE... ET VOUS N'AVEZ QUE DE FORT LOIN LA TOURNURE D'UN BON SAMARITAIN!
QUE VOULEZ-VOUS AU JUSTE?

LE TRÉSOR.
QUEL TRÉSOR?
NOTRE TRÉSOR! JE SAIS TOUT!
ET PAR QUI?
TOUT?
TOUT.
AH!
TAP TAP

LE SECOND DE VOTRE NAVIRE - QUE DIEU AIT SON ÂME - S'EN EST OUVERT À MOI SUR SON LIT DE MORT.
LA PESTE SOIT DU BORGNE QUE NE PERDIT-IL LA LANGUE PLUTÔT QU'UN OEIL

À L'HEURE OÙ NOUS PARLONS, LES PIRATES CINGLENT DROIT SUR LES ÎLES TANGERINES.

ASSOCIONS-NOUS : VOUS FOURNISSEZ LE BATEAU, ET MOI JE BRAVE MILLE PÉRILS POUR VOUS RENDRE VOTRE FILS.
BOF.
ET LA MOITIÉ DU TRÉSOR.
ARG!

LA MOITIÉ!?! MAIS... MAIS... MAIS... VOUS ME TRUCIDEZ!
ALLONS, ALLONS! LE TEMPS PRESSE! ET VENISE COMPTE PLUS D'UN ARMATEUR...

MAUDIT PENDARD À LA DENT DURE! JE SAURAI BIEN TE FAIRE RENDRE GORGE!
VOUS DITES?
JE DIS: VA POUR LA MOITIÉ!
EH BIEN... TRINQUONS!
CHER ASSOCIÉ!

40

LA VAILLANCE DES MAURES? AH! LAISSEZ-MOI RIRE! AU SIÈGE DE VALENCE, MON AÏEUL RODRIGO DE VILLALOBOS, À LA TÊTE D'UNE POIGNÉE D'HOMMES, A DÉFAIT PLUS DE MILLE DES VÔTRES!
VALENCE? PARLONS-EN DE VALENCE! J'Y AVAIS UN ANCÊTRE!
QUEL EST CETTE FOIS LE SUJET DE LEUR DISPUTE?
UN BIGORNEAU.

VOUS ÉTIEZ PEUT-ÊTRE CINQ CENTS AU DÉPART, MAIS EN ARRIVANT AU PORT, VOUS ÉTIEZ AU MOINS TROIS MILLE!
QU'IMPORTE! NOUS VOUS INFLIGEÂMES UNE RACLÉE!

C'EN EST TROP! CETTE FOIS, ON VA LE FAIRE, CE DUEL!
ET AVEC QUOI? NOUS N'AVONS QU'UN SABRE POUR DEUX!
ÉCOUTEZ, MONSIEUR... J'AI LONGUEMENT RÉFLÉCHI... JE ME SUIS DIT QUE... PLUTÔT QUE DE MOURIR DE FAIM... SI CELA POUVAIT VOUS SAUVER...
MANGEZ-MOI LE PREMIER!

BRAVE EUSÈBE!
RASSUREZ-VOUS, NOUS N'EN SOMMES PAS ENCORE... OH!
TAC TAC
UNE TOUCHE!

PLITCH PLATCH!
VENEZ VITE!

BÊÊÊÊ!

POUAH!
BON APPÉTIT, LES MOUETTES!
PLOUF
LES MOUETTES!?

CELA SIGNIFIE QUE LA TERRE EST PROCHE!
OU BIEN QU'UN NAVIRE VIENT À NOUS! ELLES SUIVENT SOUVENT LEUR SILLAGE!

NOUS SOMMES SAUVÉS!
LOUONS CES NOBLES VOLATILES PAR QUI SOUFFLE LA BRISE ET RENAÎT L'ESPOIR!
KWÊÊÊK!

REGARDEZ-MOI UN PEU CETTE GROSSE POULE !
BLEK ! BLEK ! !!!
FOU QUE TU ES !
C'EST UN ALBATROS ! RELÂCHE CE PIEUX OISEAU DE BON AUGURE ! TU VAS ATTIRER LE MALHEUR SUR NOUS !

LE MALHEUR ? FRANCHEMENT ! CROYEZ-VOUS QUE NOTRE SITUATION PUISSE ENCORE EMPIRER ?
BLURP

SWASH

?!? UNE MÂTURE !
UN NAVIRE SURGISSANT DES EAUX !

UN FANTÔME DE VAISSEAU GRÉÉ D'ALGUES MARINES ! UNE CHOSE ENGLOUTIE QUI JAMAIS N'AURAIT DÛ REVOIR LA FACE DU SOLEIL !

IL VIENT NOUS CHERCHER ! SUR SON PONT LIMONEUX, UN NAUTONIER À L'ORBITE PUTRIDE ATTEND DE NOUS ENTRAÎNER VERS LES PROFONDEURS SÉPULCRALES OÙ SE LAMENTE LE CHOEUR SANS VOIX DES NOYÉS BOURSOUFLÉS PAR LES MIASMES DE L'ONDE AMÈRE !
VOUS DITES ÇA POUR PLAISANTER ?
SERAIT-CE...

LE HOLLANDAIS VOLANT ?!

IL VIENT DROIT SUR NOUS !
NOTRE ÎLOT ! IL S'EFFONDRE !

BRROOMMM

SUIVEZ-MOI !

MIEUX VAUT AFFRONTER L'INCONCEVABLE QUE DE S'ABANDONNER À UNE MORT CERTAINE !

EN BRANDISSANT TELLE UNE ARME LE FLAMBEAU DE LA RAISON, NOUS RENVERRONS À LEURS LIMBES IMAGINAIRES LES SPECTRES QUI HANTENT CETTE SINISTRE CARCASSE !

LA RAISON ! IL A RAISON !
SAINT ANTOINE DE PADOUE, FAITES BRILLER SUR MOI LES LUMIÈRES DE LA RAISON...
GULP !

VOUS... VOUS NE M'EFFRAYEZ POINT, BELLIQUEUX CADAVRES !
JE VAIS VOUS RENVOYER D'OÙ VOUS VENEZ ! ET SI CE N'EST À COUPS DE FLAMBEAU, DU MOINS LE FERAI-JE À COUPS DE SABRE !

43

CLAC CLAC CLAC CLAC CLAC CLAC CLAC CLAC CLAC CLAC CLAC ...
TING!

CLAC CLAC CLAC CLAC CLAC CLAC ...
CLAC!

CLAC CLAC CLAC CLAC...
MAIS...? CES MORTS SONT... MORTS !
LES CONCRÉTIONS MARINES ONT FIGÉ CES MALHEUREUX DANS UNE MACABRE PANTOMIME !

NOUS VOICI DONC SEULS MAÎTRES À BORD !
QUE VOUS DISAIS-JE ? IL N'Y A RIEN DE SURNATUREL EN TOUT CECI !
AH OUI ?
PARCE QU'UNE ÉPAVE SURGIE DU FOND DES MERS, MUE PAR DES FANTÔMES DE VOILES, TU TROUVES ÇA NATUREL, TOI ?
ALLEZ, VA-T'EN ! PCHH ! TES AILES DE GÉANT M'EMPÊCHENT DE MARCHER !
CET ÉPERON AUSSI M'INTRIGUE... D'ORDINAIRE, SEULES LES GALÈRES EN SONT POURVUES...
BLEK !

TIENS DONC ? SA FORME M'EST FAMILIÈRE... ON POURRAIT Y VOIR LE ROSTRE D'UN... MAIS OUI ! J'Y SUIS !

OÙ VAS-TU ?
SI CE QUE JE PENSE S'AVÈRE JUSTE, J'EN TROUVERAI CONFIRMATION DANS LA CALE !

44

VOYEZ ! L'ÉPERON NE FAIT PAS PARTIE DU NAVIRE : IL LE TRAVERSE DE PART EN PART !

... L'AFFREUX POISSON QUE NOUS PÊCHÂMES TOUT À L'HEURE AVAIT UN ROSTRE FORT SEMBLABLE À CELUI-CI. IMAGINEZ MAINTENANT UN DE SES CONGÉNÈRES, À LA PROPORTION DE CET APPENDICE...
UNE TELLE HORREUR ? D'UNE TELLE TAILLE !

CE LÉVIATHAN CROISE UN JOUR LA ROUTE DU NAVIRE... IL L'EMBROCHE, ET L'ENTRAÎNE PAR LE FOND ! DEPUIS, LORSQUE LA BÊTE NAGE EN SURFACE, ON N'APERÇOIT D'ELLE QUE SON LIGNEUX COUVRE-CHEF...

NOUS TENONS LÀ L'EXPLICATION RATIONNELLE DE LA LÉGENDE DU HOLLANDAIS VOLANT ! CE N'EST PAS UN VAISSEAU FANTÔME, MAIS UNE SIMPLE ÉPAVE SUR LE DOS D'UN VULGAIRE MONSTRE MARIN !
LA BELLE JAMBE QUE VOILÀ ! ET S'IL LUI PRENAIT L'ENVIE DE REPLONGER ?
J'AI PEUT-ÊTRE UNE IDÉE !

EN COMBINANT LES PRINCIPES DU CHADOUF ET DE LA NORIA, NOUS DEVRIONS POUVOIR MAINTENIR LE POISSON À FLOT, ET MÊME LE MANOEUVRER À NOTRE GUISE !

HEIN ?

UN BALANCIER ARTICULÉ, TEL UN CHADOUF, QUE NOUS FIXERIONS À LA PROUE, PERMETTRAIT D'AGITER UN APPÂT SOUS LE NEZ DU MONSTRE... COMME LA CAROTTE DU BAUDET TIRANT LA NORIA !
À PROPOS DE CAROTTE... PERSONNE N'A VU EUSEBIO ?
AU SECOURS !

EUSÈBE !!
À L'AIDE !

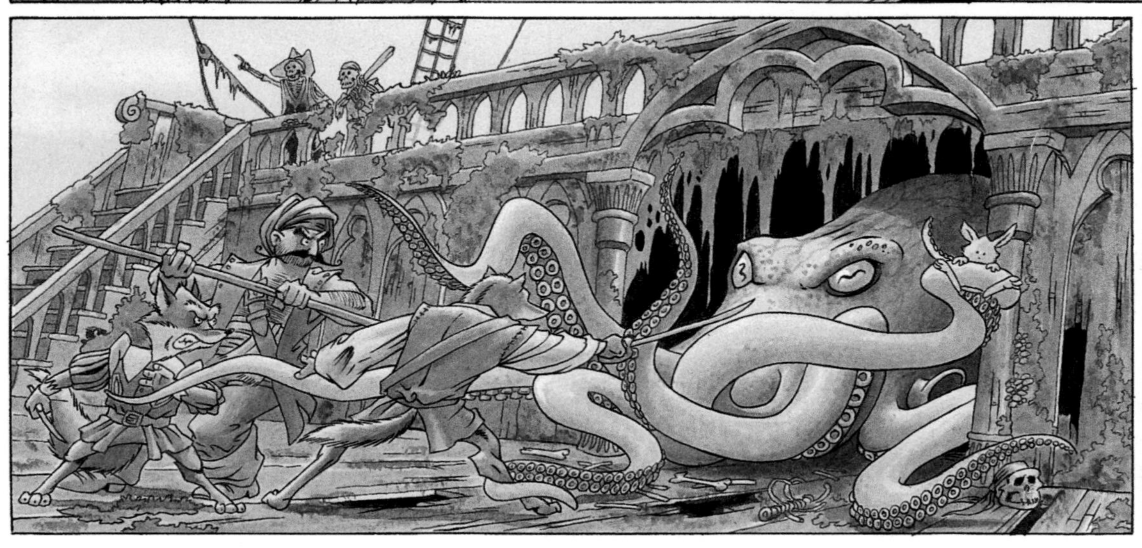

TCHAK !

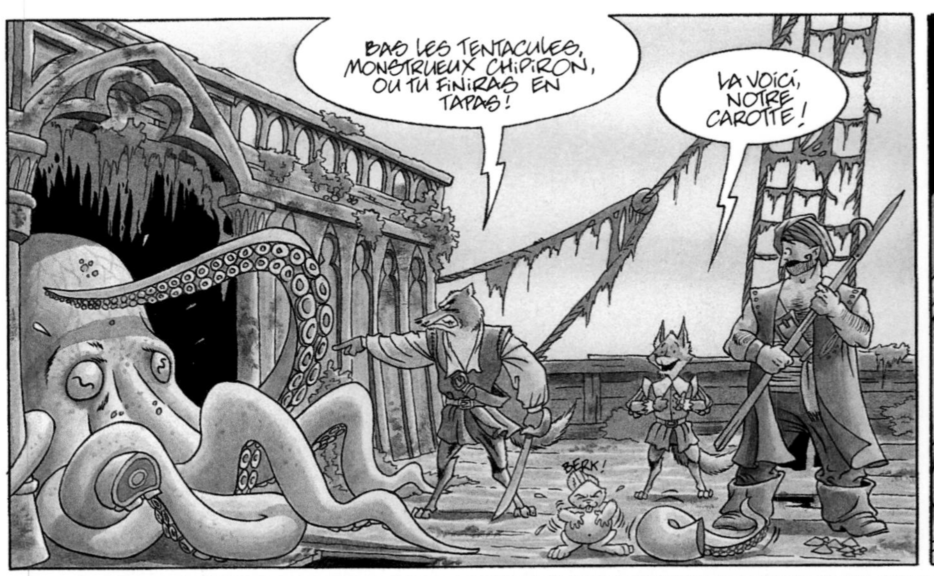
BAS LES TENTACULES, MONSTRUEUX CHIPIRON, OU TU FINIRAS EN TAPAS !
LA VOICI, NOTRE CAROTTE !
BERK !

TIENS TIENS !
QUE NOUS CACHAIS-TU LÀ, OCTOPODE GREDIN ?
UN COFFRE ?

OOOH !

¡INCROYABLE ! C'EST LA MÊME BOUTEILLE !
UNE DEUXIÈME CARTE AU TRÉSOR !? CE NAVIRE EST DÉCIDÉMENT FORT RICHE EN COUPS DE THÉÂTRE !
BLUPT
OH, OH !

NOUS SOMBRONS !
MESSIEURS ! JE CROIS QUE LE MOMENT EST VENU DE VÉRIFIER LE BIEN-FONDÉ DE NOS THÉORIES !
AU TRAVAIL !

GAGEONS QU'À FORCE DE VOLONTÉ, D'ASTUCE ET DE BONNE HUMEUR...

... NOUS SAURONS CONVAINCRE DAME FORTUNE DE NOUS PRÉSENTER UN PLUS RIANT VISAGE !

Entracte...